Tableaux
d'une exposition

Une musique de **Modest Moussorgski**
Orchestrée et interprétée par l'Ensemble Carpe Diem
Présentée par **Muriel Bloch**
Illustrée par **Sacha Poliakova**

GALLIMARD JEUNESSE MUSIQUE

1 Attention…!
Attention…!

Mesdames
et messieurs !

Ouvrez grands vos yeux
et grandes vos oreilles !

Vous allez découvrir
des paysages, des personnages,
des ambiances où chaque décor
est une musique, où chaque
musique est un tableau.

Voici les…
Tableaux d'une exposition !

② Le Gnome

Arrêtez-vous devant ce gnome :
figure diabolique et nain
grotesque.

Il jaillit de l'ombre et se lance dans une danse folle et effrayante...

Le vieux château

Assis à la fenêtre d'un château
médiéval, un troubadour joue
un air mélancolique.
Écoutez-le et laissez-vous
porter par la sonorité ronde,
chaleureuse et grave
du cor anglais.

Le jardin des Tuileries

4

Changement de décor.
Nous sommes à Paris, au gr**and**
jardin des Tuileries. C'est le matin,
l'air est vif, les **enfants** crient, rient,
se poursuivent et se chamaillent… sur la sonorité champêtre du hautbois.

Bydlo

Et voici un autre tableau...
écoutez ! Il n'y a plus
qu'à fermer les yeux...
Et à imaginer la démarche
lourde et lente de bœufs tirant
un vieux chariot de bois.
Toute la force et la peine
sont dans la musique
de la contrebasse.

Ballet des poussins dans leurs coquilles

Picorez, poussins ! Piaillez, sautillez !

Et vous promeneurs et flâneurs de cette exposition insolite, écoutez la drôle de danse des poulets dans leur coquille !

Samuel Goldenberg et Schmuyle

Deux personnages. Deux univers.
Un riche marchand.
Un pauvre mendiant.
Écoutez le contraste frappant
entre le thème musical
du marchand, lourd, pompeux,
avec les cordes, et celui
du mendiant, suppliant, presque
larmoyant, avec les vents.

Le marché de Limoges

Aujourd'hui, c'est jour de marché à Limoges.
Et ça caquette, et ça discute, et ça piaille,
et ça se dispute, et ça harangue, et ça commère,
et ça raconte, et ça pépie, et ça s'interpelle dans tous les sens…

Catacombes

Nous voici maintenant
dans l'ombre des catacombes,
vestiges d'un ancien cimetière.
Quelle pesanteur,
quelle lourdeur...

La musique est lente et grave
pour illustrer l'ambiance
de cette marche dans les sous-
sols humides du vieux Paris.

La hutte aux pattes de poules

Cette drôle de hutte n'est autre que la maison de... Baba Yaga, la sorcière des contes de fées russes. La sorcière s'envole sur son balai et disparaît dans la forêt. La musique se fait mystérieuse, pleine de magie. On retient son souffle...

Et tout d'un coup la revoilà, l'échevelée, sur son balai ! Quel final !

La porte de Kiev

Entendez-vous ces cloches ?
Nous sommes au cœur
d'une procession religieuse...
et derrière elle, c'est toute
la Russie qui résonne,
grande et puissante.

Vibrant hommage à son ami artiste et architecte Viktor Hartmann, les *Tableaux d'une exposition* est sans doute une des œuvres majeures du compositeur russe **Modest Moussorgski**. Réalisée comme une promenade musicale autour de dix tableaux, la musique de Moussorgski décrit la visite du spectateur de toile en toile. Chaque ambiance picturale est transcrite musicalement par le compositeur comme autant de prétextes à des musiques tour à tour graves, mélancoliques, pétillantes, effrayantes…

Fondé en 1993 par le hautboïste Jean-Pierre Arnaud, l'**Ensemble Carpe Diem** est une formation musicale variant de 3 à 20 musiciens, et dont la vocation première est de rendre accessible à tous le répertoire symphonique d'opéra et de ballet. Ce projet, qui passe par l'interprétation en effectif réduit d'œuvres initialement composées pour grand orchestre, implique une réécriture : la transcription et la réorchestration. Au final, cette alchimie, qui consiste à extraire le meilleur de partitions conçues dans la démesure orchestrale, dévoile des essences musicales nouvelles, des couleurs sonores inédites et des timbres insoupçonnés.

Née en Russie en 1977, **Sacha Poliakova** obtient en 2003 à Paris son diplôme à l'École Nationale Supérieure des Arts Décoratifs. Ses miniatures tout en finesse ou ses grandes fresques nous emmènent en voyage à travers cette exposition de tableaux mêlant, à l'image de la musique de Moussorgski, le réel et l'imaginaire…
Elle a déjà travaillé avec les éditions Didier Jeunesse, Gauthier-Languereau, Seuil Jeunesse, Thierry Magnier…

GALLIMARD JEUNESSE MUSIQUE
Paule du Bouchet

LIVRE
Édition : Claire Babin
Direction artistique : Élisabeth Cohat
Conception graphique : David Alazraki

DISQUE
Narration : Muriel Bloch
Violon : Catherine Montier
Alto : Lise Bertaud
Violoncelle : Luc Dedreuil
Contrebasse : Igor Boranian
Harpe : David Lootvoet
Flûte et piccolo : Marine Perez
Hautbois et cor anglais : Jean-Pierre Arnaud
Cor : Philippe Bréas
Percussions : Nicolas Martynciow
Enregistrement à l'ENM de Mantes-La-Jolie
Direction artistique et montage : Étienne Collard
Prise de son , mixage, musique : Michel Pierre
Prise de son et mixage narration : Daniel Deshays

ISBN : 978-2-07-061311-3
© Éditions Gallimard Jeunesse, 2007
Dépôt légal : septembre 2007
Numéro d'édition : 149313
Imprimé en Italie par Zanardi Group
Loi n° 49-956 du 16 juillet 1949
sur les publications destinées à la jeunesse